Le Petit Chaperon Vert

Le Petit Chaperon Vert

Texte de Grégoire Solotareff
Illustrations de Nadja

Mouche
l'école des loisirs
11, rue de Sèvres, Paris 6ᵉ

© 1989, l'école des loisirs, Paris
Loi numéro 49 956 du 16 juillet 1949 sur les publications
destinées à la jeunesse : septembre 1989
Dépôt légal : mars 2009
Imprimé en France par Jean-Lamour à Maxéville

ISBN 978-2-211-02894-3

pour tous les chaperons vert-pâle,
vert-bouteille, vert-olive, vert-autobus,
vert-émeraude, vert-pomme,
olivâtres, verdâtres et vert-foncé

Il était une fois une petite fille que tout le monde appelait «Petit Chaperon Vert» parce qu'elle portait une sorte de capuchon pointu et vert.

Sa grande sœur portait un chaperon jaune et sa meilleure amie un chaperon bleu.

Mais elle avait une ennemie (une petite fille qu'elle détestait parce que c'était une menteuse) qui portait un chaperon rouge...

… et celle-là, elle la détestait vraiment.

Un jour, sa mère lui dit :
« Petit Chaperon Vert, ta grand-mère est très malade. »
« Oh non ! » fit la petite fille qui aimait beaucoup sa grand-mère.

«Il faut lui porter des médicaments et des bonnes choses à manger, mais ni ta sœur, ni ton père ne sont là. Est-ce que tu as le courage d'y aller, malgré le loup qui rôde, affamé, dans la forêt?»

«Bien sûr», répondit la petite fille.

«Voilà, prends ce panier et va, mais fais bien
attention au loup!»
«Oui, oui», dit la petite fille.

Elle partit courageusement après avoir mis
son chaperon vert.

Et dans le bois, qui rencontra-t-elle?
Le Petit Chaperon Rouge, qui cueillait des
fleurs et ramassait des girolles!
Elle aussi avait un panier rempli de médicaments et de nourriture, et le Petit Chaperon Vert pensa que sa grand-mère aussi
devait être malade.

Comme elle la détes-
tait, elle ne lui dit pas
bonjour et passa son
chemin.

Elle n'avait pas fait cent pas qu'un énorme
loup noir la croisa en courant, hors d'haleine.

Elle n'eut même pas le temps d'avoir vraiment peur, tellement le loup allait vite ; et lui ne fit pas attention à la petite fille tout de vert vêtue, assise dans les herbes vertes de la forêt.

Une fois remise de ses émotions elle reprit
son chemin.

Arrivée chez sa grand-mère, le Petit Chaperon Vert tira la chevillette pour que la
bobinette puisse choir, et la porte s'ouvrit.

La petite fille donna ses médicaments et les
bonnes choses à manger à sa grand-mère. La
vieille dame ne voulut même pas y goûter
tant elle se sentait mal.

«Ne t'approche pas de bmoi», dit-elle à la
petite fille, «tu es mbignonne à croquer bais

j'ai un gros rhumbe et tu risques de l'attraper.
Il ne mbanquerait plus que ça!»

«Bien, Grand-Mère», dit la petite fille.

«Alors je m'en vais. Au revoir! Ah! J'ai
oublié de te le dire: j'ai rencontré le loup.»

«Hein?» fit la grand-mère. «Mbon Dieu! Et tu n'as pas eu peur?»

«Pas du tout», dit la petite fille. «Il courait tellement vite qu'il n'a pas eu le temps de me voir.»

«Mbon Dieu!» répéta la grand-mère. «Quelle chance tu as eue!»
Elle lui fit un baiser sur la main et la petite fille s'en alla.

Sur le chemin du retour, elle croisa le Petit
Chaperon Rouge qui continuait à cueillir des
fleurs bien tranquillement.

«Tu sais», lui dit le Petit Chaperon Vert, «je
ne t'aime pas mais je voudrais quand même
te prévenir : j'ai vu le loup, tout à l'heure!»

«Moi aussi, moi aussi», chantonna le Petit
Chaperon Rouge en lui tirant la langue.

«Il m'a même demandé
Ce-que-je-faisais
Dans les bois
Et-où-j'allais
Avec mon panier
Nananananère!»

«Attention, il est très méchant!», dit le Petit Chaperon Vert. «Tu chantes, tu chantes, mais tu sais ce qui peut arriver? Eh bien, il peut te manger et même manger ta grand-mère!»

«Manger ma grand-mère?» fit le Petit Chaperon Rouge en levant les yeux au ciel. «Pfff! Tu dis n'importe quoi!»

«On verra», dit le Petit Chaperon Vert, «on verra!»

Le Petit Chaperon Rouge lui tira une dernière fois la langue et continua à cueillir des fleurs comme si de rien n'était. Le Petit Chaperon Vert rentra à la maison.

« Alors ? » lui dit sa maman. « Tout s'est bien passé ? »

« Très bien », dit le Petit Chaperon Vert. « Mère-grand a simplement un gros rhume et elle n'a pas voulu m'embrasser. Je lui ai quand même donné tout ce que tu as préparé pour elle. »

« Bien », dit sa maman. « Et tu n'as rencontré personne dans le bois ? »

«Si! Le Petit Chaperon Rouge. Et puis le loup, aussi.»

«Mon Dieu!» fit la maman. «Le Petit Chaperon Rouge? Mais c'est terrible, ce que tu me dis là! Le loup va la manger! Ne sais-tu pas que le loup mange tout ce qui est rouge? La viande rouge, les fruits rouges, mais surtout les petites filles habillées en rouge?»

«Mais non, Maman, ne t'inquiète pas», dit la petite fille. «J'ai vu le Petit Chaperon Rouge *après* avoir vu le loup et d'ailleurs, le loup courait à toute vitesse, il avait l'air très pressé.»

«Ah bon!» fit la maman avec un soupir de soulagement. «Tu me rassures. Mais quand même, je ne suis pas tout à fait tranquille, tu ne voudrais pas la raccompagner chez elle? Je sais que tu n'aimes pas tellement le

Petit Chaperon Rouge, mais si jamais il arrivait quelque chose, ce serait terrible ! Et toi, habillée en vert, avec ton chaperon vert parmi les hautes herbes vertes de la forêt verte, tu ne risques pas grand-chose et c'est d'ailleurs pour ça que je t'habille toujours en vert. »

Le Petit Chaperon Vert retourna courageusement dans le bois bien que la nuit fût sur le point de tomber et qu'elle détestât le Petit Chaperon Rouge.

À peine avait-elle fait deux cents pas qu'elle
rencontra des chasseurs qui transportaient le
loup ligoté sur une branche, tout à fait mort.
Et qui les accompagnait ?

Le Petit Chaperon Rouge, qui courut vers
elle dès qu'elle l'aperçut, en chantant:

« Tu avais raison

Tu avais raison

Le loup m'a mangée

Le loup m'a mangée

Et-il-a-aussi

Mangé ma grand-mère

Nananananère. »

«Je ne te crois pas!» dit le Petit Chaperon
Vert. «Tu es une menteuse. J'ai dit ça pour
te faire peur et toi tu crois que c'est la véri-
té?»

> «Et même qu'on nous a sorties
> Toutes les deux
> Du ventre du loup,
> Nananananère»

répondit le Petit Chaperon Rouge.
Mais le Petit Chaperon Vert lui tournait
déjà le dos et rentrait à la maison
en haussant les épaules.

Arrivée chez elle, elle dit à sa mère:
«Maman, le Petit Chaperon Rouge est rentré
chez elle et les chasseurs ont tué le loup!...

… Et tu sais ce qu'elle m'a dit, cette menteuse
de Petit Chaperon Rouge ? Que le loup
l'avait mangée, et même qu'il avait mangé
sa grand-mère ! Et qu'on les avait sorties du
ventre du loup toutes les deux ! »

«Oh!» dit la Maman. «Tu sais, il y a des enfants qui mentent et ce n'est pas bien du tout. C'est pourquoi je te demande de ne jamais mentir.»

«Je te le promets», dit le Petit Chaperon Vert. Et sa mère lui fit un baiser.

«D'ailleurs, un jour, personne ne la croira plus, si elle ment tout le temps», ajouta le Petit Chaperon Vert.

«Exactement», dit sa mère.

Et toutes les deux se mirent au coin du feu en attendant que le dîner cuise.

Dehors, le vent soufflait très fort et il commençait à faire bien froid, au cœur de la forêt.